Ricettario per principianti della dieta mediterranea 2021

101 ricette facili e gustose per una salute che dura tutta la vita

Antonia Farigu

Disclaimer

Le informazioni contenute in i intendono servire come una raccolta completa di strategie sulle quali l'autore di questo eBook ha svolto delle ricerche. Riassunti, strategie, suggerimenti e trucchi sono solo raccomandazioni dell'autore e la lettura di questo eBook non garantisce che i propri risultati rispecchieranno esattamente i risultati dell'autore. L'autore dell'eBook ha compiuto ogni ragionevole sforzo per fornire informazioni aggiornate e accurate ai lettori dell'eBook. L'autore e i suoi associati non saranno ritenuti responsabili per eventuali errori o omissioni involontarie che possono essere trovati. Il materiale nell'eBook può includere informazioni di terzi. I materiali di terze parti comprendono le opinioni espresse dai rispettivi proprietari. In quanto tale, l'autore dell'eBook non si assume alcuna responsabilità per materiale o opinioni di terzi.

Sommario

NTRODUZIONE

Se stai cercando di mangiare cibi che sono migliori per il tuo cuore, inizia con questi nove ingredienti sani della cucina mediterranea.

Gli ingredienti chiave della cucina mediterranea includono olio d'oliva, frutta e verdura fresca, legumi ricchi di proteine, pesce e cereali integrali con moderate quantità di vino e carne rossa. I sapori sono ricchi e i benefici per la salute per le persone che scelgono una dieta mediterranea, una delle più sane al mondo, sono difficili da ignorare: hanno meno probabilità di sviluppare ipertensione, colesterolo alto o diventare obesi. Se stai cercando di mangiare cibi che sono migliori per il tuo cuore, inizia con questi ingredienti sani della cucina mediterranea.

1.Best Buddha Bowl

ingredienti

- 1 patata dolce grande, a cubetti
- Olio extravergine di oliva, per condire
- 1 ravanello anguria o 2 ravanelli rossi
- 2 carote medie
- 1 tazza di cavolo rosso sminuzzato
- Spremuta di limone
- 8 foglie di cavolo nero, tritate
- 2 tazze di riso integrale cotto o quinoa
- 1 tazza di ceci o lenticchie cotte
- ¾ tazza di crauti o un'altra verdura fermentata
- 2 cucchiai di semi di sesamo o semi di canapa
- Salsa Tahini alla curcuma, per servire
- Microgreens, opzionale
- Sale marino e pepe nero appena spezzato

PASSI

1. Preriscalda il forno a 400 ° F e fodera una grande teglia con carta da forno.

2. Condisci le patate dolci con olio d'oliva, sale e pepe e distribuiscile sulla teglia. Cuocere per 20 minuti o fino a doratura.

3. Tagliare a rondelle sottili il ravanello (è meglio farlo su una mandolina) e utilizzare un pelapatate per pelare le carote in nastri.

4. Mescola le fette di ravanello, le carote e il cavolo grattugiato con una spruzzata di limone. Mettere da parte.

5. Mettete le foglie di cavolo nero in una ciotola capiente e conditele con una spruzzata di limone e qualche pizzico di sale. Usa le mani per massaggiare le foglie finché non diventano morbide e appassite e riduci nella ciotola di circa la metà.

6. Montare le ciotole individuali con riso integrale, ceci, cavoli, carote, ravanelli, cavoli, patate dolci, crauti, semi di sesamo e microgreens, se utilizzati. Condite con sale e pepe e servite con la salsa tahini alla curcuma.

2.Kimchi Brown Rice Bliss Bowls

ingredienti

- 1 tazza di riso integrale cotto
- Riempiendo ¼ di tazza di kimchi *, (vedi nota)
- 1 cetriolo persiano, sbucciato a fiocchetti
- ½ tazza di cavolo rosso tagliato a fettine sottili
- ½ avocado, a fette
- 8 once di tempeh marinato, al forno o alla griglia
- ½ ricetta salsa di arachidi
- ½ cucchiaino di semi di sesamo
- 2 peperoncini tailandesi, affettati sottilmente, facoltativi
- Fette di lime, per servire
- Microgreens, per guarnire, facoltativo

PASSI

1. Assembla le ciotole con il riso, il kimchi, il cetriolo, il cavolo cappuccio, l'avocado e il tempeh.
2. Condire una generosa quantità di salsa di arachidi e cospargere con semi di sesamo e peperoncini

thailandesi, se utilizzati. Servire con fettine di lime e la restante salsa di arachidi a parte. Guarnire con microgreens, se lo si desidera.

3. Ciotole di fagioli azuki

ingredienti

- 1/2 testa di cavolo Napa grande, a fette (6 1/2 tazze)
- 3 carote piccole, tritate con un pelapatate
- 1 tazza di piselli a schiocco di zucchero, affettati
- 2 cucchiai di semi di sesamo, più per servire
- 1 tazza di riso integrale cotto
- 2 cucchiai di foglie di coriandolo fresco tritate, altro per servire
- 1 1/2 tazza di fagioli azuki cotti, scolati e sciacquati
- 2 avocado, affettati
- 1 peperoncino rosso fresco piccolo, affettato
- Sesame Miso Dressing (rende extra)
- 1/4 tazza di miso bianco
- 1/3 di tazza di aceto di riso
- 1/4 tazza di olio d'oliva
- 3 cucchiai di tamari
- 1 cucchiaio di olio di sesamo tostato

PASSI

1. Prepara il condimento. In una piccola ciotola, sbatti insieme il miso, l'aceto di riso, l'olio d'oliva, il tamari e l'olio di sesamo.
2. In una grande ciotola, mescola cavolo, carote, piselli e semi di sesamo con 1/4 di tazza di condimento.
3. Poco prima di servire, piega il coriandolo nell'insalata di cavolo. Dividi il riso, l'insalata di cavolo, i fagioli e gli avocado in quattro ciotole. Condire con altro condimento, se lo si desidera, e cospargere con il peperoncino e più coriandolo e semi di sesamo, se lo si desidera.

4. Ciotola di cereali vegetariani arrosto

ingredienti

- Grano (fa extra):
- 1 tazza di quinoa cruda, sciacquata
- 1 tazza di acqua
- Creamy Kale Pepita Pesto (fa extra):
- $\frac{1}{2}$ tazza di pepitas (o pistacchi crudi sgusciati)
- 2 spicchi d'aglio piccoli
- 1 tazza confezionata di cavolo tritato
- 1 tazza confezionata di coriandolo, più per guarnire
- $\frac{1}{4}$ di tazza di succo di limone fresco
- $\frac{1}{2}$ cucchiaino di sale marino
- Pepe nero appena macinato
- $\frac{1}{2}$ tazza di olio extravergine d'oliva
- $\frac{1}{2}$ tazza di acqua
- $\frac{1}{2}$ cucchiaino di sciroppo d'acero o miele
- Verdure grigliate:
- 2 pastinache, tagliate a pezzi da $\frac{1}{2}$ pollice
- cimette di $\frac{1}{2}$ cavolfiore

- $\frac{1}{2}$ mazzetto di broccolini
- 1 tazza e mezzo di cavoletti di Bruxelles tagliati a metà
- Proteina:
- 1 (14 once) lattina di ceci, scolati e sciacquati, usa $\frac{1}{4}$ di tazza per ciotola, risparmia l'extra
- Salamoia:
- cucchiaio di crauti (mi piacciono i Bubbies)

Extra:

- spolverare di pepitas tostate

PASSI

1. Preriscaldare il forno a 425 ° F e rivestire 2 teglie con carta da forno.
2. Per prima cosa, prepara la quinoa. Aggiungere la quinoa sciacquata e l'acqua in una pentola media. Portalo a ebollizione, copri, abbassa il fuoco e fai sobbollire per 15 minuti. Togliete dal fuoco e lasciate riposare, coperto, per altri 10 minuti. Fluff con una forchetta. Ciò produrrà circa 3 tazze; Ho

usato $\frac{1}{2}$ tazza colmo per ciotola.

3. Quindi, prepara la salsa. Unisci la pepita, l'aglio, il cavolo nero, il succo di limone e il coriandolo, il sale marino, il pepe, l'olio d'oliva, l'acqua e lo sciroppo d'acero o il miele in un frullatore e frulla fino a che liscio.

4. Quindi, arrostisci le verdure. Metti la pastinaca, i cavoletti di Bruxelles e il cavolfiore su una teglia grande. Posizionare i broccolini sulla seconda teglia. Condire le verdure con olio d'oliva e pizzichi di sale e pepe, mescolare per ricoprire, quindi distribuire uniformemente sulle sfoglie. Arrostire la pastinaca / i cavoletti di Bruxelles / il cavolfiore per 20-25 minuti o finché non diventano dorati lungo i bordi. Arrostisci i broccolini per 10-12 minuti o finché sono teneri. Quando sono freddi al tatto, tritare i gambi dei broccolini.

5. Montare le ciotole con una pallina di quinoa, le verdure arrostite, circa $\frac{1}{4}$ di tazza di ceci e una pallina di crauti e guarnire con pepitas. Condire con la salsa. Condire a piacere con ulteriore sale e pepe, se lo si desidera, e servire. Ho assemblato questi componenti in 2 ciotole (anche se l'intera ricetta ne farà 4) e ho conservato gli avanzi per la cena di domani - rimanete sintonizzati!

6. Conserva la salsa extra, la quinoa e i ceci rimasti in frigorifero.

5. Ciotole Kimchi di riso al cavolfiore

ingredienti

- salsa di cocco:
- ⅓ tazza di latte di cocco
- 2 cucchiai di pasta di miso bianco
- 1 cucchiaio di aceto di riso o succo di lime fresco
- 1 cucchiaino di zenzero tritato
- Un pizzico di sale marino

per le ciotole:

- 1 testa piccola di cavolfiore, fatta soffriggere
- ½ tazza di scalogno tritato
- ½ spicchio d'aglio tritato
- 7 once di funghi shiitake, privati del gambo e affettati
- ½ cucchiaino di aceto di riso
- ½ cucchiaino di tamari
- 6 foglie di cavolo riccio, senza gambo e strappate
- 14 once di tofu al forno
- 1 avocado, a dadini

- $\frac{1}{2}$ tazza di kimchi (ho usato il kimchi della suocera)
- $\frac{1}{4}$ di tazza di microgreens, opzionale
- Cospargere di semi di sesamo, facoltativo
- Olio extravergine di oliva, per condire
- Sale marino
- Fette di lime, per servire

PASSI

1. Prepara la salsa di cocco: in una piccola ciotola, sbatti insieme il latte di cocco, la pasta di miso, il succo di lime o l'aceto di riso, lo zenzero e il sale. Mettere da parte.

2. In un'ampia padella antiaderente, scaldare un filo d'olio d'oliva a fuoco basso. Aggiungere il cavolfiore sbucciato, lo scalogno, l'aglio e qualche presa di sale e cuocere, mescolando di tanto in tanto, per 3 minuti solo per eliminare il sapore crudo del cavolfiore. Togliere dal fuoco e incorporare ½ della salsa di cocco. Porzionate il riso al cavolfiore in 4 ciotole.

3. Pulisci i pezzetti di cavolfiore rimasti dalla padella. Riscalda la padella a fuoco medio con qualche goccia di olio d'oliva. Aggiungere i funghi e qualche presa di sale e cuocere, mescolando di tanto in tanto, finché sono teneri, per circa 5 minuti. Togliere dal fuoco e incorporare l'aceto di riso e il tamari. Aggiungi i funghi alle ciotole di cavolfiore.

4. Pulisci di nuovo la padella, aggiungi un po 'd'acqua e il cavolo nero e cuoci a fuoco medio, coperto, per 1 minuto o fino a quando non è leggermente appassito.

5. Termina l'assemblaggio delle ciotole spruzzando altra salsa di cocco su ogni porzione di cavolfiore.

Aggiungi il cavolo nero, il tofu, l'avocado e il kimchi nelle ciotole insieme ai microgreens e ai semi di sesamo, se li usi. Servire con la salsa rimasta e le fettine di lime a parte.

6.Ciotola Vegetariana Macro

ingredienti

- 1 ravanello anguria o 2 ravanelli rossi
- spremuta di limone
- 1 tazza cruda di fagioli mung germogliati o lenticchie cotte
- 6 carote piccole o 3 medie, al vapore
- 1 cimette di broccoli a testa piccola, al vapore
- 8 foglie di cavolo nero, tritate
- 2 tazze di riso integrale o quinoa
- ¾ tazza di crauti o un'altra verdura fermentata
- 2 cucchiai di semi di sesamo o semi di canapa
- microgreens, opzionale
- Sale marino e pepe nero appena spezzato
- Tahini alla curcuma
- 1 cucchiaio di olio extravergine d'oliva
- 1 cucchiaio di succo di limone
- 1/2 cucchiaio di tahini
- 1/2 cucchiaio di acqua

- 1/2 spicchio d'aglio, tritato
- 1/4 cucchiaino di curcuma macinata
- sale marino e pepe nero appena spezzato

PASSI

1. Prepara la salsa. In una piccola ciotola, mescola l'olio d'oliva, il succo di limone, il tahini, l'acqua, l'aglio, la curcuma e un generoso pizzico di sale e pepe. Mettere da parte.

2. Affettare sottilmente il ravanello (meglio farlo su una mandolina) e condire le fette con una spruzzata di limone. Mettere da parte.

3. Cuocere i fagioli mung in acqua bollente salata secondo le indicazioni sulla confezione o finché sono teneri. Scolare.

4. In un cestello per la cottura a vapore sopra una pentola di acqua bollente, cuocere a vapore le carote, coperte, finché sono teneri, da 7 a 10 minuti. Rimuovere e mettere da parte. Quindi cuocere a vapore i broccoli finché sono teneri ma ancora di un verde brillante, 4-5 minuti. Infine, cuocere a vapore il cavolo nero finché non diventa tenero, da 30 secondi a 1 minuto.

5. Montare le ciotole individuali con il riso integrale, i fagioli mung, le carote, i broccoli, il cavolo riccio, i crauti, i semi di sesamo e i microgreens, se utilizzati. Condite con sale e pepe e servite con la salsa tahini alla curcuma.

7 Miglior hamburger vegetariano

ingredienti

- 2 cucchiai di olio extravergine di oliva, più per condire
- 2 scalogni, tritati (⅔ tazza)
- 16 once di funghi, mix di shiitake + portobello, privati del gambo e tagliati a cubetti
- 2 cucchiai di tamari
- $\frac{1}{4}$ di tazza di aceto balsamico
- 1 cucchiaio di mirin o $\frac{1}{2}$ cucchiaino di sciroppo d'acero
- 2 spicchi d'aglio, tritati
- $\frac{1}{2}$ cucchiaino di paprika affumicata
- 2 cucchiaini di sriracha, più se lo si desidera
- $\frac{1}{2}$ tazza di noci tritate
- $\frac{1}{4}$ di tazza di semi di lino macinati
- 2 tazze di riso integrale a grani corti cotto, appena cotto in modo che sia appiccicoso *
- 1 tazza di pangrattato panko, diviso
- Salsa vegana Worcestershire, per spennellare

- Spray da cucina antiaderente, per grigliare
- Panini per hamburger e fissaggi per hamburger desiderati
- Sale marino e pepe nero appena macinato

PASSO

1. Riscaldare l'olio d'oliva in una padella media a fuoco medio. Aggiungere lo scalogno e rosolare fino a renderlo morbido, 1 minuto. Aggiungere i funghi, un generoso pizzico di sale e rosolare fino a quando saranno morbidi e dorati, da 6 a 9 minuti, abbassando leggermente la fiamma, se necessario.
2. Incorporare il tamari, l'aceto e il mirin. Mescolare, ridurre la fiamma, quindi aggiungere l'aglio, la paprika affumicata e la sriracha. Togli la padella dal fuoco e lascia raffreddare leggermente.
3. In un robot da cucina, unire i funghi saltati, le noci, i semi di lino, il riso integrale e $\frac{1}{2}$ tazza di panko. Frullare fino a quando non sarà ben amalgamato.
4. Trasferire in una ciotola grande e incorporare il panko rimanente.
5. Formare 8 polpette delle dimensioni di un cursore o 6 polpette delle dimensioni di un hamburger.
6. Preriscalda una griglia a fuoco medio-alto. Spruzzare la griglia con uno spray da cucina antiaderente e irrorare o spennellare le polpette con olio d'oliva. Griglia per 4-5 minuti per lato o finché non si formano segni di carbonizzazione. Togliere dalla griglia, spennellare con salsa

Worcestershire e servire con le guarnizioni desiderate.

8 zucca di ghianda ripiena

ingredienti

- 2 zucche ghiande, tagliate a metà
- 1 (8 once) confezione tempeh
- 1 cucchiaio di olio extravergine di oliva, più per condire
- ½ cipolla gialla, tritata
- 8 once di funghi cremini, tagliati a dadini
- 3 spicchi d'aglio, tritati
- ⅓ tazza di noci tritate grossolanamente
- 1 cucchiaio di tamari
- 1 cucchiaio di aceto di mele
- ½ cucchiaio di rosmarino tritato
- ¼ tazza di salvia tritata
- ⅓ tazza di mirtilli rossi secchi
- Prezzemolo e qualche arillo di melograno, per guarnire
- Sale marino e pepe nero appena macinato

PASSI

1. Preriscalda il forno a 425 ° F e fodera una teglia con carta da forno. Raccogli e getta i semi dalla zucca. Mettere le metà della zucca sulla teglia e irrorarle con olio d'oliva e pizzichi di sale e pepe. Arrosto con la parte tagliata verso l'alto per 40 minuti o finché sono teneri.

2. Mentre la zucca arrostisce, tagliare il tempeh a cubetti da $\frac{1}{2}$ pollice, metterlo in un cestello per la cottura a vapore e metterlo su una pentola piena di 1 pollice d'acqua. Portare l'acqua a ebollizione, coprire la pentola e cuocere a vapore per 10 minuti. Rimuovere, scolare l'acqua in eccesso e utilizzare le mani per sbriciolare il tempeh.

3. Riscaldare l'olio d'oliva in una padella capiente a fuoco medio. Aggiungere la cipolla, $\frac{1}{2}$ cucchiaino di sale e diverse macinate di pepe nero e cuocere 5 minuti. Aggiungere i funghi e cuocere, mescolando, fino a renderli morbidi, circa 8 minuti. Incorporare il tempeh sbriciolato, l'aglio, le noci, il tamari, l'aceto di sidro di mele, il rosmarino e la salvia e cuocere per altri 2-3 minuti, aggiungendo $\frac{1}{4}$ di tazza di acqua quando la padella si asciuga. Mescolare i mirtilli rossi e condire a piacere. Versare il ripieno nelle metà della zucca di ghianda arrostita e

guarnire con il prezzemolo e le melagrane.

9 Patate dolci al forno due volte

ingredienti

- 4 patate dolci medie
- 4 tazze di piccoli fiori di broccoli
- 1 cucchiaino di olio extravergine d'oliva
- 1 spicchio d'aglio piccolo, tritato
- ½ cucchiaino di senape di Digione
- 1 cucchiaio di succo di limone fresco
- ⅓ scalogno tritato tazza
- 1 tazza di formaggio cheddar, facoltativo
- ¼ di tazza di semi di canapa
- ½ tazza di prezzemolo tritato e / o microgreens
- Sale marino e pepe nero appena macinato
- Crema di patate dolci e anacardi (questo rende extra)
- ½ tazza di acqua
- ½ tazza di purè di patate dolci
- ½ tazza di anacardi crudi, lasciati in ammollo per più di 4 ore e scolati

- 1 cucchiaio e mezzo di succo di limone fresco
- 1 spicchio d'aglio
- 2 cucchiaini di rosmarino fresco tritato
- ½ cucchiaino di sale marino
- ¼ di cucchiaino di pepe nero appena macinato

PASSI

1. Preriscalda il forno a 400 ° F e fodera una teglia con carta da forno. Forare più volte le patate dolci con una forchetta e adagiarle sulla teglia. Cuocere per 45 minuti o finché sono teneri. Tagliare a metà e raccogliere un cucchiaio di purè da ciascuna metà per fare spazio al ripieno, $\frac{1}{2}$ tazza in totale. (Usalo per la crema di patate dolci e anacardi.)

2. Prepara la crema di patate dolci e anacardi: in un frullatore ad alta velocità, unisci l'acqua, la purea di patate dolci, gli anacardi, il succo di limone, l'aglio, il rosmarino, sale e pepe e frulla fino a che liscio. Mettere da parte.

3. Cuocere a vapore i broccoli in una pentola a vapore per 5 minuti o finché sono teneri ma ancora di un verde brillante.

4. In una ciotola media, unire l'olio d'oliva, l'aglio tritato, la senape di Digione, il succo di limone e lo scalogno e mescolare. Aggiungere i broccoli al vapore e qualche pizzico di sale e pepe e mescolare per ricoprire.

5. Riempire ogni metà di patata con una pallina di crema di anacardi, un po 'di formaggio cheddar (se utilizzato), il composto di broccoli, altro formaggio,

scalogno e cospargere con i semi di canapa. Cuocere per altri 10 minuti o finché il formaggio non si sarà sciolto. Guarnire con il prezzemolo e / o i microgreens e servire con la restante salsa di anacardi per bagnare. (consiglio: se la tua salsa di anacardi è troppo densa per condirla, aggiungi un po 'd'acqua fino a ottenere una consistenza più sottile).

10. Peperoni Poblano Ripieni

ingredienti

- 4 peperoni poblano medi
- Olio extravergine di oliva, per condire
- 1/3 di tazza di cipolla rossa a dadini o scalogno tritato
- 1 tazza colma di cimette di cavolfiore, spezzettate in piccoli pezzi
- 1/2 tazza di peperone rosso tagliato a dadini
- 1/2 cucchiaino di cumino
- 1/2 cucchiaino di coriandolo
- ½ cucchiaino di origano
- 1 spicchio d'aglio, tritato
- 1 tazza di fagioli neri cotti, scolati e sciacquati
- 1 tazza di riso bianco o integrale cotto
- 3 tazze di spinaci freschi
- 2 cucchiai di succo di lime, più spicchi per servire
- ¼ di tazza di salsa tomatillo, acquistata in negozio o questa ricetta
- Sale marino e pepe nero appena macinato

- opzionale: formaggio Monterey Jack, per guarnire

Servire con:

- fette di avocado
- salsa tomatillo
- crema di anacardi del Cile verde, o formaggio cotija o feta

PASSI

1. Preriscalda il forno a 400 ° F e fodera una teglia con pepe pergamena.
2. Tagliate a metà i peperoni e privateli dei semi e delle costolette. Adagiare sulla teglia, irrorare con olio d'oliva e pizzichi di sale e pepe e arrostire per 15 minuti con il lato tagliato verso l'alto.
3. In una padella capiente, scalda 1 cucchiaio di olio d'oliva a fuoco medio. Aggiungere la cipolla, il cavolfiore, il peperone rosso, il cumino, il coriandolo, l'origano, l'aglio, 1/2 cucchiaino di sale e diverse macinate di pepe nero. Cuocere fino a quando la cipolla è morbida e il cavolfiore è leggermente dorato, da 5 a 8 minuti circa.
4. Togliere dal fuoco e incorporare i fagioli neri, il riso, gli spinaci, il succo di lime e la salsa di tomatillo. Assaggia e aggiusta i condimenti.
5. Versare il ripieno nei peperoni e infornare per 15 minuti.
6. Servire con fette di avocado, coriandolo, salsa di tomatillo, crema di anacardi al peperoncino verde e fette di lime sul lato.

11 Tomatillo Salsa Verde

ingredienti

- 6 pomodori medi
- 1/4 di cipolla gialla media, tagliata a pezzi grandi
- 1 peperone serrano o jalapeño, con gambo * (vedi nota)
- 2 spicchi d'aglio, non pelati, avvolti nella carta stagnola
- 1 cucchiaio e mezzo di olio extravergine d'oliva
- 1 cucchiaio e mezzo di succo di lime fresco
- $\frac{1}{4}$ di tazza di coriandolo tritato
- Da 1/2 a 3/4 cucchiaino di sale marino a piacere

PASSI

1. Preriscalda il forno a 450 ° F e fodera una teglia con carta da forno.
2. Rimuovere le bucce dai tomatillos e sciacquare sotto l'acqua fredda per rimuovere la collosità. Mettere i tomatillos, la cipolla e il pepe sulla teglia, irrorare con l'olio d'oliva e un generoso pizzico di sale e mescolare. Metti l'aglio avvolto nella padella.

Cuocere per 15 minuti o fino a quando i tomatillos sono morbidi.

3. Scartare l'aglio dalla pellicola, sbucciarlo e metterlo nella ciotola di un robot da cucina. Aggiungere le verdure arrostite, il succo di lime, il coriandolo e il legume. Se la salsa è troppo densa, aggiungi da 1 a 2 cucchiai di acqua fino a ottenere la consistenza desiderata. Condire a piacere.

4. Servire con patatine o con la tua ricetta messicana preferita.

12 Spaghetti Squash con ceci e cavolo riccio

ingredienti

- 1 zucca spaghetti
- 1 o 2 cucchiai di olio extravergine d'oliva
- 1 scalogno, tagliato a fettine sottili
- 1 spicchio d'aglio intero
- $\frac{1}{2}$ cucchiaio di rosmarino fresco tritato
- Un pizzico di fiocchi di peperoncino
- $\frac{1}{2}$ tazza di ceci, cotti scolati e sciacquati (o arrostiti)
- 2 tazze (confezionate) di foglie di cavolo tritate
- 1 cucchiaio di succo di limone
- $\frac{1}{4}$ di tazza di pomodori secchi tritati (o capperi o olive)
- $\frac{1}{4}$ di tazza di pinoli tostati
- Sale marino e pepe nero appena macinato
- Parmigiano grattugiato fresco (facoltativo)

PASSI

1. Preriscalda il forno a 400F.
2. Prepara la tua zucca seguendo le indicazioni in questo post.
3. In una padella larga a fuoco medio, aggiungi abbastanza olio d'oliva per ricoprire leggermente la padella, quindi aggiungi lo scalogno, lo spicchio d'aglio intero (lo rimuoveremo in seguito), il rosmarino, i fiocchi di peperoncino e un pizzico di sale e pepe.
4. Quando lo scalogno inizia ad ammorbidirsi, aggiungere i ceci e cuocere per qualche minuto fino a quando non saranno leggermente dorati. Se stai usando i ceci arrostiti, aggiungili alla fine della ricetta. Rimuovere lo spicchio d'aglio, aggiungere il cavolo nero e il succo di limone e mescolare.
5. Una volta che il cavolo è parzialmente appassito, aggiungere i fili di zucca, i pomodori secchi, un po 'di parmigiano grattugiato e altro sale e pepe, a piacere. Lancia per incorporare. Togliere dal fuoco e guarnire con pinoli tostati e formaggio extra grattugiato.

13.Sesame Soba Noodles

ingredienti

Condimento al sesamo

- ¼ di tazza di aceto di riso
- 2 cucchiai di tamari, altro per servire
- ½ cucchiaino di olio di sesamo tostato
- 1 cucchiaino di zenzero grattugiato
- 1 spicchio d'aglio grattugiato
- ½ cucchiaino di sciroppo d'acero o miele

Per i Soba Noodles

1. 6 once di soba noodles *, vedi nota
2. Olio di sesamo, per condire
3. 2 avocado, affettati
4. Spremute di limone
5. 2 tazze di piselli a schiocco sbollentati
6. ¼ di tazza di edamame
7. 1 ravanello anguria o 2 ravanelli rossi, tagliati a fettine sottili
8. 1/4 tazza di foglie di menta fresca

9. semi di sesamo

PASSI

1. Prepara il condimento: in una piccola ciotola, unisci l'aceto, il tamari, l'olio di sesamo, lo zenzero, l'aglio e il miele. Mettere da parte.

2. Portare a ebollizione una pentola d'acqua non salata e cuocere gli spaghetti di soba secondo le indicazioni sulla confezione. Scolare e sciacquare bene in acqua fredda. Questo aiuta a rimuovere gli amidi che causano la formazione di grumi. Condisci le tagliatelle con il condimento e dividile in 2 o 4 ciotole. Spremere il succo di limone fresco sulle fette di avocado e aggiungerle alle ciotole insieme ai piselli, l'edamame, il ravanello, la menta e cospargere di semi di sesamo. Condisci con altro tamari o olio di sesamo, se lo desideri.

14.Maki Sushi Ricetta

ingredienti

- Shiitake arrosto
- 6 once di funghi shiitake
- 1 cucchiaio di olio extravergine d'oliva
- 1 cucchiaio di tamari
- Salsa per immersione allo zenzero e carote
- $\frac{1}{2}$ tazza di carote arrostite tritate, circa $\frac{3}{4}$ tazza di carote crude
- $\frac{1}{3}$ per $\frac{1}{2}$ tazza d'acqua
- $\frac{1}{4}$ di tazza di olio extravergine di oliva
- 2 cucchiai di aceto di riso
- 2 cucchiaini di zenzero tritato
- $\frac{1}{4}$ di cucchiaino di sale marino
- Riso per sushi
- 1 tazza di riso integrale a grani corti, ben sciacquata
- 2 tazze d'acqua *
- 1 cucchiaino di olio extravergine d'oliva
- 2 cucchiai di aceto di riso

- 1 cucchiaio di zucchero di canna
- 1 cucchiaino di sale marino

Per i panini

- 3 fogli nori
- 1 tazza di cavolo rosso tagliato a fettine sottili
- 3 strisce lunghe e sottili di cetriolo
- ½ avocado, tagliato a listarelle
- Semi di sesamo, da spolverare
- Tamari, per servire
- Zenzero sottaceto, facoltativo, per servire

PASSI

1. Preparare gli shiitake arrostiti: preriscaldare il forno a 400 ° F e rivestire una teglia grande e una piccola con carta da forno. Condire i funghi shiitake con l'olio d'oliva e il tamari e mescolare per ricoprire. Distribuire in uno strato uniforme sulla teglia grande. Cuocere per 25-30 minuti o fino a doratura sui bordi. Sulla seconda sfoglia arrostire le carote per la salsa.

2. Prepara la salsa di carote e zenzero: in un frullatore, unisci le carote arrostite, l'acqua, l'olio d'oliva, l'aceto di riso, lo zenzero e il sale e frulla fino a ottenere una crema. Lascia raffreddare fino al momento dell'uso e metti da parte gli shiitake finché non sei pronto per arrotolare.

3. Prepara il riso per sushi: in una casseruola media, unisci il riso, l'acqua e l'olio d'oliva e porta a ebollizione. Coprite, abbassate la fiamma e lasciate cuocere per 45 minuti. Togli il riso dal fuoco e lascia riposare, coperto, per altri 10 minuti. Fluff con una forchetta e unisci l'aceto di riso, lo zucchero e il sale. Copri fino al momento dell'uso.

4. Assembla i rotoli di maki sushi. Metti una piccola ciotola d'acqua e un canovaccio vicino all'area di lavoro perché le tue mani diventeranno appiccicose.

Posizionare un foglio di nori, con il lato lucido rivolto verso il basso, su una stuoia di bambù e premere una manciata di riso sui due terzi inferiori del foglio. In fondo al riso mettete i condimenti (vedi foto). Non riempire eccessivamente o sarà più difficile rotolare. Usa il tappetino di bambù per piegare e arrotolare il nori. Una volta arrotolato, usa il tappetino di bambù per premere delicatamente e modellare il rotolo. Posizionare il rotolo di lato, con il lato tagliato rivolto verso il basso. Ripeti con i rotoli rimanenti.

5. Usa un coltello da chef affilato per tagliare il sushi. Pulisci il coltello con un panno umido tra i tagli.

6. Cospargere con i semi di sesamo. Servire con salsa di immersione, tamari e zenzero sottaceto, se lo si desidera.

15 Spaghetti vegetariani

ingredienti

- Scegli una verdura
- Zucca Butternut
- Barbabietola
- Cetriolo
- Carota
- Ravanello Daikon
- Zucca estiva
- Cavolo rapa
- Patata dolce
- Zucchine

PASSI

1. Tagliatelle di zucca butternut: cerca una zucca con un collo lungo. Taglia la base grassa e squallida della zucca e conservala per un altro uso (vedi suggerimenti nel post sopra). Pelare la zucca e utilizzare uno spiralizer per fare le tagliatelle.

2. Tagliatelle di barbabietola: cerca una barbabietola grande. Staccare la pelle e utilizzare uno spiralizer per fare le tagliatelle.

3. Tagliatelle al cetriolo: cerca un cetriolo inglese grande. Usa uno spiralizer o un pelapatate a julienne per fare le tagliatelle (non c'è bisogno di sbucciare).

4. Tagliatelle di carote: cerca una carota grassa. Strofina bene o sbuccia se è troppo sporco. Usa uno spiralizer o un pelapatate a julienne per fare le tagliatelle.

5. Tagliatelle Daikon: usa uno spiralizer per fare le tagliatelle.

6. Tagliatelle di zucca estiva: cerca una zucca gialla grande. Usa uno spiralizer o un pelapatate a julienne per fare le tagliatelle. Oppure usa un normale pelapatate e sbucciali in spesse tagliatelle a forma di nastro. Non è necessario sbucciare la pelle della zucca.

7. Tagliatelle di cavolo rapa: tagliare le verdure e conservarle per un altro uso. Stacca le parti sporche dal bulbo di cavolo rapa. Usa uno spiralizer per fare le tagliatelle.

8. Tagliatelle di patate dolci: cerca una patata dolce densa. Pelare la patata dolce e utilizzare uno spiralizer per fare le tagliatelle.

9. Tagliatelle di zucchine: cerca una zucchina grande. Usa uno spiralizer o un pelapatate a julienne per fare le tagliatelle. Oppure usa un normale pelapatate e sbucciali in spesse tagliatelle a forma di nastro. Non c'è bisogno di sbucciare la buccia delle zucchine.

16.Insalata di rafano con pesto di ravanelli

ingredienti

- 1 1/2 tazza di fagioli marini cotti, scolati e sciacquati
- $\frac{1}{4}$ di tazza di vinaigrette al limone
- 9 ravanelli arrostiti, tagliati a metà o in quarti
- 2-3 ravanelli rossi tagliati a fettine sottili
- 1/4 tazza di pinoli
- 1 cucchiaio di capperi
- 1/4 tazza di pesto verde di ravanello, (o qualsiasi pesto)
- 1/4 tazza di foglie di menta fresca
- 2 cucchiai di pecorino o parmigiano a scaglie, facoltativo
- Succo di limone aggiuntivo, facoltativo
- Sale marino e pepe nero appena macinato

PASSI

1. In una ciotola media, condisci i fagioli con 2 cucchiai di vinaigrette al limone.

2. Montare l'insalata su un piatto da portata con i fagioli, i ravanelli arrostiti, i ravanelli crudi affettati, i pinoli, i capperi e le cucchiaiate di pesto.

3. Condire con il condimento rimanente e guarnire con menta fresca e pecorino, se si utilizza. Condire a piacere con più sale e pepe e una spremuta di limone extra, se lo si desidera.

17 Pesto di verdure al rafano

ingredienti

- 1/2 tazza di pinoli o pepita
- 1 spicchio d'aglio piccolo
- 1/4 cucchiaino di sale marino
- Pepe nero appena macinato
- 2 cucchiai di succo di limone
- 1 tazza di ravanelli
- 1 tazza di basilico
- Da 1/4 a 1/3 di tazza di olio extravergine di oliva, più se lo si desidera
- 1/4 tazza di parmigiano, facoltativo

PASSI

1. In un robot da cucina, unire i pinoli, l'aglio, il sale e il pepe e frullare finché non sono ben tritati. Aggiungere il succo di limone e frullare di nuovo.
2. Aggiungere le verdure di ravanello e il basilico e frullare fino a ottenere un composto omogeneo.
3. Con il robot da cucina in funzione, irrorare con l'olio

d'oliva e frullare fino a quando non è ben amalgamato. Aggiungere il parmigiano, se utilizzato, e frullare brevemente per amalgamare. Per un pesto più liscio, aggiungi altro olio d'oliva.

18 Ciotole di Buddha

ingredienti

- 1 patata dolce grande, a cubetti
- Olio extravergine di oliva, per condire
- 1 ravanello anguria o 2 ravanelli rossi
- 2 carote medie
- 1 tazza di cavolo rosso sminuzzato
- Spremuta di limone
- 8 foglie di cavolo nero, tritate
- 2 tazze di riso integrale cotto o quinoa
- 1 tazza di ceci o lenticchie cotte
- ¾ tazza di crauti o un'altra verdura fermentata
- 2 cucchiai di semi di sesamo o semi di canapa
- Salsa Tahini alla curcuma, per servire
- Microgreens, opzionale
- Sale marino e pepe nero appena spezzato

PASSI

1. Preriscalda il forno a 400 ° F e fodera una grande teglia con carta da forno.
2. Condisci le patate dolci con olio d'oliva, sale e pepe e distribuiscile sulla teglia. Cuocere per 20 minuti o fino a doratura.
3. Tagliare a rondelle sottili il ravanello (è meglio farlo su una mandolina) e utilizzare un pelapatate per pelare le carote in nastri.
4. Mescola le fette di ravanello, le carote e il cavolo grattugiato con una spruzzata di limone. Mettere da parte.
5. Mettete le foglie di cavolo nero in una ciotola capiente e conditele con una spruzzata di limone e qualche pizzico di sale. Usa le mani per massaggiare le foglie finché non diventano morbide e appassite e riduci nella ciotola di circa la metà.
6. Montare le ciotole individuali con riso integrale, ceci, cavoli, carote, ravanelli, cavoli, patate dolci, crauti, semi di sesamo e microgreens, se utilizzati. Condite con sale e pepe e servite con la salsa tahini alla curcuma.

19. Cipolle rosse sott'aceto

ingredienti

- 2 cipolle rosse piccole
- 2 tazze di aceto bianco
- 2 tazze d'acqua
- 1/3 di tazza di zucchero di canna
- 2 cucchiai di sale marino
- opzionale
- 2 spicchi d'aglio
- 1 cucchiaino di pepe in grani misti

PASSI

1. Affetta sottilmente le cipolle (è utile usare una mandolina) e dividi le cipolle in barattoli da 2 (16 once) o 3 barattoli (10 once). Metti l'aglio e il pepe in grani in ogni barattolo, se lo usi
2. Riscalda l'aceto, l'acqua, lo zucchero e il sale in una casseruola media a fuoco medio. Mescolare fino a quando lo zucchero e il sale si saranno sciolti, circa 1 minuto. Lasciate raffreddare e versateci sopra le cipolle. Mettere da parte a raffreddare a

temperatura ambiente, quindi conservare le cipolle in frigorifero.

3. Le cipolle sott'aceto saranno pronte per essere mangiate una volta che saranno di un rosa brillante e tenere - circa 1 ora per le cipolle affettate sottilmente o durante la notte per le cipolle a fette più spesse.

20. Salutare insalata di taco

ingredienti

- 2 tortillas di mais, tagliate a listarelle
- Olio extravergine di oliva, per condire
- 1 lattuga romana a testa media, tritata
- 1 tazza di cavolo rosso sminuzzato
- $\frac{1}{2}$ tazza di fagioli neri cotti, scolati e sciacquati
- 2 ravanelli rossi, tagliati a fettine sottili
- $\frac{1}{2}$ tazza di pomodorini a fette e / o Pico de gallo
- 1 avocado, a fette
- Fette di jalapeño, facoltativo
- Condimento al limone e coriandolo, la variante cremosa di avocado
- Sale marino
- Spicchi di lime, per servire
- Shiitake Taco "Meat"
- 1 cucchiaio di olio extravergine d'oliva
- 8 once di funghi shiitake, privati del gambo e tagliati a cubetti

- 1 tazza di noci tritate
- 1 cucchiaio di tamari
- 1 cucchiaino di peperoncino in polvere
- ½ cucchiaino di aceto balsamico
- Sale marino e pepe nero appena macinato

PASSI

1. Preriscalda il forno a 400 ° F e fodera una teglia con carta da forno. Condisci le strisce di tortilla con un filo d'olio d'oliva e un pizzico di sale. Distribuire sulla teglia e infornare per 10-14 minuti o finché non diventa croccante.

2. Prepara la "Carne" di Shiitake Taco: in una padella media, scalda l'olio d'oliva a fuoco medio. Aggiungere i funghi e cuocere, mescolando solo di tanto in tanto, finché non iniziano a dorarsi e ad ammorbidirsi, da 3 a 4 minuti. Incorporare le noci e tostare leggermente per 1 o 2 minuti. Incorporare il tamari e il peperoncino in polvere. Aggiungere l'aceto balsamico e mescolare di nuovo. Togliere dal fuoco e condire con sale e pepe a piacere.

3. Montare l'insalata con la lattuga romana, il cavolo cappuccio, i fagioli neri, la carne di taco, i ravanelli, i pomodori, l'avocado, i jalapenos, se usati, e le generose cucchiaiate di condimento di avocado al coriandolo e lime. Condire con olio d'oliva e cospargere di sale marino. Servire con spicchi di lime e condimento extra a parte.

21 Zuppa di pomodoro e basilico

ingredienti

- 2 ½ libbre di pomodori roma, tagliati a metà
- ¼ di tazza di olio extravergine di oliva, diviso
- 1 cipolla gialla media, tritata
- ⅓ tazza di carote tritate
- 4 spicchi d'aglio, tritati
- 3 tazze di brodo vegetale
- 1 cucchiaio di aceto balsamico
- 1 cucchiaino di foglie di timo
- 1 tazza sfusa di foglie di basilico, altra per guarnire
- Sale marino e pepe nero appena macinato

PASSI

1. Preriscaldare il forno a 350 ° F e rivestire una grande teglia con carta da forno. Mettere i pomodori tagliati verso l'alto sulla teglia, irrorare con 2 cucchiai di olio d'oliva e cospargere di sale e pepe. Cuocere per 1 ora o fino a quando i bordi iniziano ad avvizzire e gli interni sono ancora succosi.

2. Riscaldare i restanti 2 cucchiai di olio d'oliva in una pentola capiente a fuoco medio. Aggiungere le cipolle, le carote, l'aglio e ½ cucchiaino di sale e cuocere finché non si ammorbidiscono, per circa 8 minuti. Mescolare i pomodori, il brodo vegetale, l'aceto e le foglie di timo e cuocere a fuoco lento per 20 minuti.

3. Lasciate intiepidire leggermente e versate la zuppa nel frullatore, lavorando più volte se necessario. Frulla fino a ottenere un composto omogeneo. Aggiungere il basilico e frullare fino a quando combinato.

4. Guarnire la zuppa con foglie di basilico e servire con crosta di pane.

22 Riso vegetariano speziato affumicato

ingredienti

- 25 g di anacardi
- 4 cucchiai di olio d'oliva
- 1 pannocchia di mais
- 250 g di carotine arcobaleno, dimezzate nel senso della lunghezza
- 2 cipolle rosse, tritate finemente
- 2 coste di sedano, tritate finemente
- 2 peperoni rossi grandi, affettati finemente
- 3 spicchi d'aglio, schiacciati
- 2 cucchiai di condimento Cajun
- 1 $\frac{1}{2}$ cucchiaio di paprika affumicata
- 1 cucchiaino di pasta chipotle
- 2 cucchiai di passata di pomodoro
- 200 g di pomodorini ciliegino, tagliati a metà
- 400 g di fagioli borlotti, scolati e sciacquati
- 400 g di pomodorini
- 300 g di riso a grani lunghi, lavato

- 400 ml di brodo vegetale o vegano
- 1 cucchiaio di aceto di vino rosso (le varietà vegane sono prontamente disponibili)
- 2 cucchiai di zucchero semolato
- 2 cipollotti, affettati finemente

PASSI

1. Friggi gli anacardi in una casseruola grande o in una casseruola a fuoco medio fino a dorarli. Togliete dal fuoco, lasciate raffreddare, quindi tritate grossolanamente. Scaldare 1 cucchiaio di olio nella stessa padella a fuoco vivo, quindi friggere le pannocchie su ciascun lato per 20 secondi affinché si carbonizzino. Togliere dalla padella, mettere da parte, quindi versare le carote e friggerle per 5 minuti. Togliere dalla padella e mettere da parte.

2. Riscaldare il resto dell'olio nella stessa padella a fuoco medio e soffriggere le cipolle e il sedano per 10 minuti fino a renderli morbidi e leggermente colorati. Aggiungere i peperoni e l'aglio, quindi soffriggere per altri 5 minuti prima di aggiungere il condimento Cajun, la paprika affumicata, il concentrato di chipotle e la passata di pomodoro. Friggere per 1 minuto fino a quando le spezie saranno fragranti, quindi aggiungere i pomodorini e soffriggere per altri 2 minuti.

3. Incorporare i fagioli, i pomodori in scatola, il riso, il brodo, l'aceto e lo zucchero, quindi mescolare fino a quando tutto è amalgamato. Portare a ebollizione, quindi coprire con un coperchio e cuocere con un coperchio per 35-40 minuti a fuoco medio-basso,

mescolando a metà, fino a quando il riso è cotto e il liquido assorbito.

4. Affetta la pannocchia e mescolala al riso insieme alle carote. Condire e guarnire con i cipollotti e gli anacardi.

23. Ciotola di lenticchie con patate dolci e cavolfiore

ingredienti

- 1 patata dolce grande, con la pelle lasciata, strofinata e tagliata a pezzi medi
- 1 cavolfiore, tagliato a grandi fiori, il gambo a dadini
- 1 cucchiaio di garam masala
- 3 cucchiai di olio di arachidi
- 2 spicchi d'aglio
- 200 g di lenticchie gonfie
- zenzero grande quanto un pollice, grattugiato
- 1 cucchiaino di senape di Digione
- 1 $\frac{1}{2}$ lime, spremuto
- 2 carote
- $\frac{1}{4}$ di cavolo rosso
- $\frac{1}{2}$ confezione piccola di coriandolo

PASSI

1. Riscaldare il forno a 200 ° C / 180 ° C ventola / gas 6. Condire la patata dolce e il cavolfiore con il garam masala, metà dell'olio e un po 'di condimento. Stendere su una grande teglia da forno. Aggiungere l'aglio e cuocere per 30-35 minuti fino a cottura ultimata.

2. Nel frattempo mettete le lenticchie in una casseruola con 400 ml di acqua fredda. Portare a ebollizione, quindi cuocere a fuoco lento per 20-25 minuti fino a quando le lenticchie sono cotte ma hanno ancora un po 'di morso. Scolare.

3. Togli gli spicchi d'aglio dalla teglia e schiacciali con la lama del coltello. Mettete in una ciotola capiente l'aglio con l'olio rimasto, lo zenzero, la senape, un pizzico di zucchero e un terzo del succo di lime. Sbattere, quindi aggiungere le lenticchie calde, mescolare e condire a piacere. Grattugiare grossolanamente le carote, sminuzzare il cavolo e tritare grossolanamente il coriandolo. Spremere il restante succo di lime e condire a piacere.

4. Dividete il composto di lenticchie in quattro ciotole (o quattro contenitori se conservate e raffreddate). Completare ogni porzione con un quarto della salsa di carote e un quarto della miscela di patate dolci e

cavolfiore.

24 Tabulé con pastinaca al sesamo e riso selvatico

ingredienti

- 500 g (5 medie) di pastinaca, sbucciata e tagliata a pezzi della grandezza di un pollice
- 2 ½ cucchiai di olio di colza spremuto a freddo
- 1 cucchiaino di curcuma macinata
- 2 cucchiaini di coriandolo macinato
- 2 cucchiai di semi di sesamo
- 130 g di riso selvatico
- 2 cipolle rosse, affettate
- 2 cucchiai di aceto di vino bianco
- 3 cucchiai di tahini
- 1 confezione piccola di menta, foglie tritate grossolanamente
- 1 confezione piccola di coriandolo, tritato grossolanamente
- 2 cucchiai di semi di melograno

PASSI

1. Riscaldare il forno a 200 ° C / 180 ° C ventola / gas 6. Mescolare la pastinaca in 1 cucchiaio e mezzo di olio, la curcuma, il coriandolo e un po 'di condimento, quindi cospargere i semi di sesamo in modo che ogni pezzo sia ben ricoperto. Cuocere in forno per 30 minuti finché sono teneri.

2. Nel frattempo cuocere il riso selvatico seguendo le istruzioni della confezione. Riscaldare il restante 1 cucchiaio di olio in una padella a parte, quindi aggiungere la cipolla affettata con 3 cucchiai di acqua. Cuocere per 10-15 minuti, mescolando di tanto in tanto fino a completa morbidezza. Alzare la fiamma, aggiungere 1 cucchiaio di aceto e cuocere per qualche minuto fino a quando non diventa rosa brillante.

3. Sbatti il tahini con l'aceto rimanente e abbastanza acqua calda per ottenere un condimento cremoso. Condire a piacere.

4. Scolare il riso selvatico, quindi mescolare le cipolle e ¾ delle erbe aromatiche tritate. Distribuire in tre piatti, quindi guarnire con la pastinaca di sesamo, i semi di melograno e le erbe rimanenti. Servire con il condimento tahini spruzzato sopra.

25 Ciotola di Acai

ingredienti

- 2 cucchiaini di açaí in polvere
- una manciata di bacche congelate
- $\frac{1}{2}$ banana molto matura, tritata
- una manciata di cubetti di ghiaccio
- 1 cucchiaino di fiocchi di cocco, 5 pezzi di ananas, $\frac{1}{2}$ frutto della passione, 1 cucchiaio di avena tostata, per guarnire (facoltativo)

PASSI

1. Metti la polvere di açaí, i frutti di bosco congelati, la banana e i cubetti di ghiaccio in un potente frullatore con 100 ml di acqua. Blitz fino a che liscio, quindi versare in una ciotola e aggiungere la vostra scelta di condimenti.

26 Spiedini vegani con condimento di avocado

ingredienti

- 3½ cucchiai di olio d'oliva
- 2 spicchi d'aglio, schiacciati
- 1 cucchiaino di peperoncino in scaglie
- 3 rametti di rosmarino, tritati finemente
- 4 funghi Portobello, ciascuno tagliato in quarti
- 4 pesche, denocciolate, ciascuna tagliata in quarti
- 2 zucchine grandi, ciascuna tagliata in 8 pezzi
- 2 cipolle rosse grandi, ciascuna tagliata in 8 spicchi (lasciare la radice)
- 1 avocado
- 1 limone, spremuto
- ½ cucchiaino di senape integrale
- grande borsa rucola, crescione e insalata di spinaci
- 2 cucchiai di semi misti tostati

Avrai bisogno

- 8 spiedini di metallo

PASSI

2. Mescolare 3 cucchiai di olio con l'aglio schiacciato, i fiocchi di peperoncino e il rosmarino. Infila pezzi alternati di funghi, pesca, zucchine e cipolla rossa su ogni spiedino: puoi ottenere due pezzi di tutto su ciascuno. Spennellate gli spiedini con l'olio d'oliva aromatizzato e condite con sale e pepe nero, quindi mettete da parte. Gli spiedini possono essere preparati il giorno prima e conservati in frigorifero.

3. Riscalda il barbecue o la griglia al massimo. Nel frattempo, frullare l'avocado, metà del succo di limone e 50 ml di acqua per un condimento omogeneo e condire a piacere. Montare insieme il restante succo di limone, il restante ½ cucchiaio di olio d'oliva e la senape, quindi condire con la rucola mista e i semi tostati.

4. Barbecue o griglia gli spiedini per 4-5 minuti su ciascun lato o finché sono cotti e ben carbonizzati. Impilare su un piatto da portata e servire con il condimento di avocado e l'insalata a parte.

27 Bistecche di cavolfiore con peperoncino arrosto e salsa di olive

ingredienti

- 1 cavolfiore
- ½ cucchiaino di paprika affumicata
- 2 cucchiai di olio d'oliva
- 1 peperone rosso arrostito
- 4 olive nere, snocciolate
- una piccola manciata di prezzemolo
- 1 cucchiaino di capperi
- ½ cucchiaio di aceto di vino rosso
- 2 cucchiai di mandorle a scaglie tostate

PASSI

1. Riscaldare il forno a 220 ° C / 200 ° C ventola / gas 7 e foderare una teglia con carta da forno. Taglia il cavolfiore in due bistecche da 1 pollice: usa la parte centrale perché è più grande e conserva il resto per un'altra volta. Strofinare la paprika e ½ cucchiaio di olio sulle bistecche e condire. Mettere sulla teglia e cuocere per 15-20 minuti fino a cottura completa.
2. Nel frattempo, prepara la salsa. Tritate il peperone,

le olive, il prezzemolo ei capperi, metteteli in una ciotola e mescolateli con il restante olio e aceto. Condire a piacere. Quando le bistecche sono cotte, versare un cucchiaio sulla salsa e guarnire con le mandorle a scaglie per servire.

28. Insalata di finocchi, limone arrosto e pomodori

ingredienti

- 2 limoni
- 2 cucchiai di olio extravergine d'oliva
- Un pizzico di zucchero
- 500 g di pomodori misti (io ho usato pomodorini e alcuni più grandi)
- 3 finocchi
- 100 g di semi di melograno
- 1/2 confezione piccola di foglie di dragoncello
- 1/2 confezione piccola di foglie di prezzemolo
- 1/2 confezione piccola di foglie di menta

PASSI

1. Riscaldare il forno a 200 ° C / 180 ° C ventola / gas 6 e foderare una teglia con carta da forno. Affettare 1 limone a rondelle sottili e stenderlo sulla teglia, irrorare con 1/2 cucchiaio di olio e spolverare con lo zucchero. Arrostire per 20-25 minuti fino a quando non si sarà raggrinzito e caramellato in alcuni punti. Tienili d'occhio: potresti

dover togliere un po 'dal forno prima che gli altri siano pronti. Questi possono essere preparati al mattino e conservati a temperatura ambiente.

2. Mentre i limoni cuociono, tritate grossolanamente i pomodori e affettate sottilmente il finocchio, conservando le fronde. Mettete in una ciotola il rimanente olio d'oliva, il succo dell'altro limone e i semi di melograno. Condire a piacere, quindi dare a tutto un buon mix.

3. Quando sei pronto per servire, trita grossolanamente tutte le erbe e mescolale nell'insalata insieme ai limoni arrostiti e alle fronde di finocchio.

29. Verdure grigliate con melanzane sciolte

ingredienti

- 1 melanzana grande
- ½ limone, scorza e spremuta
- 3 spicchi d'aglio, 1 schiacciato, 2 tritati
- 2 cucchiai di prezzemolo tritato, più una porzione per servire
- 1 cucchiaino di olio extravergine di oliva, più un po 'per condire
- 4 cucchiaini di miscela di semi di omega (vedi suggerimento)
- 2 cucchiaini di foglie di timo
- 1 cucchiaio di olio di colza
- 1 peperone rosso, privato dei semi e tagliato in quarti
- 1 cipolla grande, tagliata a fette spesse
- 2 zucchine, tagliate ad angolo
- 2 pomodori grandi, ciascuno tagliato in 3 fette spesse
- 8 olive Kalamata, tagliate a metà

PASSI

1. Grigliare le melanzane, girandole spesso, fino a quando non saranno morbide e la pelle sarà piena di vesciche, circa 8-10 minuti. In alternativa, se hai un piano cottura a gas, cuocilo direttamente sul fuoco. Quando è abbastanza freddo da maneggiare, togliete la pelle, tritate finemente la polpa e mescolatela con il succo di limone, 1 spicchio d'aglio tritato, 1 cucchiaio di prezzemolo, 1 cucchiaino di olio extravergine di oliva ei semi. Mescolare il prezzemolo rimanente con l'aglio tritato rimanente e la scorza di limone grattugiata.

2. Nel frattempo, mescolare il timo, l'aglio schiacciato e l'olio di colza e condire con le verdure, mantenendo le cipolle a fette piuttosto che rompersi a rondelle. Riscaldare una padella larga e cuocere le verdure finché sono tenere e segnate con delle linee: i pomodori avranno bisogno di meno tempo. Disporre nei piatti la purea di melanzane e le olive, irrorare con un filo d'olio extravergine di oliva e cospargere con il prezzemolo, la scorza di limone e l'aglio.

30 Miscela di ceci Bombay

ingredienti

- 60 g di ceci al curry (vedi ricetta sotto)
- 1 cucchiaio di arachidi non salate
- 1 cucchiaino di uvetta

PASSI

1. Mescolare i ceci al curry (vedi ricetta qui) con le arachidi non salate. Mettere in forno a 200 ° C / 180 ° C ventola / gas 6 per 10 minuti, quindi mescolare con l'uvetta.

31 Budino al cioccolato e chia

ingredienti

- 60 g di semi di chia
- 400 ml di latte di mandorle non zuccherato o latte di nocciole
- 3 cucchiai di cacao in polvere
- 2 cucchiai di sciroppo d'acero
- $\frac{1}{2}$ cucchiaino di estratto di vaniglia
- granella di cacao, mista
- frutti di bosco congelati, per servire

PASSI

2. Mettere tutti gli ingredienti in una ciotola capiente con un pizzico generoso di sale marino e mescolare per amalgamare. Coprite con pellicola e lasciate addensare in frigo per almeno 4 ore, o per tutta la notte.
3. Versare il budino in quattro bicchieri, quindi aggiungere le bacche congelate e le fave di cacao.

32. Tarka dhal

ingredienti

- 200 g di lenticchie rosse
- 2 cucchiai di burro chiarificato o olio vegetale se sei vegano
- 1 cipolla piccola, tritata finemente
- 3 spicchi d'aglio, tritati finemente
- $\frac{1}{4}$ di cucchiaino di curcuma
- $\frac{1}{2}$ cucchiaino di garam masala
- coriandolo, per servire
- 1 pomodoro piccolo, tritato

PASSI

- Sciacquare più volte le lenticchie finché l'acqua non sarà limpida, quindi versarle in una casseruola con 1 litro d'acqua e un pizzico di sale. Portare a ebollizione, quindi abbassare la fiamma e cuocere a fuoco lento per 25 min., Schiumando dall'alto. Coprire con un coperchio e cuocere per altri 40 minuti, mescolando di tanto in tanto, fino a ottenere una consistenza densa e brodosa.
- Mentre le lenticchie cuociono, scaldare il burro chiarificato o l'olio in una padella antiaderente a

fuoco medio, quindi soffriggere la cipolla e l'aglio finché la cipolla non si sarà ammorbidita, quindi circa 8 min. Aggiungere la curcuma e il garam masala, quindi cuocere per un altro minuto. Mettere da parte.

- Versare le lenticchie nelle ciotole e versarvi sopra metà del composto di cipolle. Completare con il coriandolo e il pomodoro per servire.

33. Burro di arachidi avena per la notte

ingredienti

- 80 g di lamponi congelati
- 50 g di fiocchi d'avena arrotolati
- 1 cucchiaino di sciroppo d'acero
- 1 cucchiaio di burro di arachidi

PASSI

1. Mescola i lamponi congelati nell'avena con 150 ml di acqua e un pizzico di sale, quindi copri e lascia raffreddare in frigorifero per una notte.
2. Il giorno successivo, mescolare lo sciroppo d'acero, quindi guarnire l'avena con il burro di arachidi.

34 Hummus di avocado e crudité

ingredienti

- 1 avocado, sbucciato e snocciolato
- 210 g di ceci, scolati
- 1 spicchio d'aglio, schiacciato
- pizzicare i fiocchi di peperoncino, più un extra per servire
- 1 lime, spremuto
- una manciata di foglie di coriandolo
- 2 carote, tagliate a listarelle
- 2 peperoni misti, tagliati a listarelle
- 160 g di piselli dolci

PASSI

1. Sbatti insieme l'avocado, i ceci, l'aglio, i fiocchi di peperoncino e il succo di lime e condisci a piacere. Completare l'hummus con le foglie di coriandolo e qualche altro peperoncino a scaglie e servire con le crudité di carota, pepe e zucchero. Prepara la sera prima per un ottimo pranzo da portare al lavoro.

35 frittelle di lenticchie

ingredienti

- 300 g di lenticchie di base rimanenti
- una manciata di coriandolo tritato
- 1 cipollotto tritato
- 50 g di farina di ceci
- 2 carote
- 2 zucchine
- ½ cucchiaino di semi di sesamo
- una manciata di coriandolo
- ½ cucchiaino di olio di sesamo
- Succo di 1 lime
- 1 cucchiaio di olio di colza

PASSI

2. Mescolare le lenticchie rimanenti con il coriandolo tritato, il cipollotto e la farina di ceci, quindi mettere da parte. Usa un pelapatate per tagliare le carote e le zucchine in lunghi nastri, quindi condisci i nastri con i semi di sesamo e il coriandolo nell'olio

di sesamo e il succo di lime.

3. Scaldare l'olio di colza in una padella antiaderente. Aggiungere quattro cucchiaiate di miscela di lenticchie e appiattirle in polpette. Friggere ogni lato fino a doratura e servire con l'insalata di nastro.

36. Patate in camicia al curry di ceci vegani

ingredienti

- 4 patate dolci
- 1 cucchiaio di olio di cocco
- 1 ½ cucchiaino di semi di cumino
- 1 cipolla grande, tagliata a dadini
- 2 spicchi d'aglio, schiacciati
- zenzero grande quanto un pollice, finemente grattugiato
- 1 peperoncino verde, tritato finemente
- 1 cucchiaino di garam masala
- 1 cucchiaino di coriandolo macinato
- ½ cucchiaino di curcuma
- 2 cucchiai di pasta di tikka masala
- 2 lattine da 400 g di pomodori a pezzetti
- 2 barattoli da 400 g di ceci, scolati
- spicchi di limone e foglie di coriandolo, per servire

PASSI

1. Riscaldare il forno a 200 ° C / 180 ° C ventola / gas 6. Bucherellare le patate dolci con una forchetta, quindi metterle su una teglia e arrostire in forno per 45 minuti o finché sono teneri quando vengono forate con un coltello.

2. Nel frattempo, sciogliere l'olio di cocco in una grande casseruola a fuoco medio. Aggiungere i semi di cumino e friggere per 1 minuto fino a quando non sono fragranti, quindi aggiungere la cipolla e soffriggere per 7-10 minuti fino a quando non si ammorbidisce.

3. Mettere l'aglio, lo zenzero e il peperoncino verde nella padella e cuocere per 2-3 minuti. Aggiungere le spezie e la pasta di tikka masala e cuocere per altri 2 minuti fino a quando non diventa fragrante, quindi aggiungere i pomodori. Portare a ebollizione, quindi aggiungere i ceci e cuocere per altri 20 minuti fino a quando non si saranno addensati. Stagione.

4. Mettere le patate dolci arrosto su quattro piatti e tagliarle nel senso della lunghezza. Versare sopra il curry di ceci e spremere gli spicchi di limone. Condire, quindi cospargere di coriandolo prima di servire.

37. Zuppa di sedano rapa, nocciole e tartufo

ingredienti

- 1 cucchiaio di olio d'oliva
- mazzetto di timo
- 2 foglie di alloro
- 1 cipolla, tritata
- 1 spicchio d'aglio grasso, tritato
- 1 sedano rapa (circa 1kg), sbucciato e tritato
- 1 patata (circa 200 g), tritata
- 1 litro di brodo vegetale (controlla l'etichetta per assicurarti che sia vegano - abbiamo usato Marigold)
- 100 ml di panna di soia
- 50 g di nocciole sbollentate, tostate e tritate grossolanamente
- 1 cucchiaio di olio al tartufo, più un filo extra per servire

PASSI

1. In una casseruola capiente, scaldate l'olio a fuoco lento. Unisci i rametti di timo e le foglie di alloro con

un pezzo di spago e uniscili nella padella con la cipolla e un pizzico di sale. Cuocere per circa 10 minuti finché non si saranno ammorbiditi ma non colorati.

2. Incorporare l'aglio e cuocere per 1 minuto in più, quindi aggiungere il sedano rapa e la patata. Mescolate bene il tutto e condite con un pizzico abbondante di sale e pepe bianco. Versare il brodo, portare a ebollizione, quindi cuocere a fuoco lento per circa 30 minuti fino a quando le verdure saranno completamente morbide.

3. Scartare le erbe, quindi mescolare con la panna, togliere dal fuoco e frullare fino a che non sia completamente liscio. Mescola 1/2 cucchiaio di olio al tartufo alla volta e assaggia il condimento: la forza dell'olio varierà, quindi è meglio iniziare con meno olio e aggiungerne un po 'alla volta.

4. Per servire, riscaldare la zuppa fino a quando non è ben calda, quindi versare in ciotole e guarnire con le nocciole, un po 'di pepe nero e un filo extra di olio al tartufo.

39. Fusilli di zucca e spinaci con noci pecan

ingredienti

- 160 g di zucca butternut, a dadini
- 3 spicchi d'aglio, affettati
- 1 cucchiaio di foglie di salvia tritate
- 2 cucchiaini di olio di colza
- 1 zucchina grande, tagliata a metà e affettata
- 6 metà di noci pecan
- 115 g di fusilli integrali
- 125 g di spinaci baby

PASSI

1. Scaldare il forno a 200 ° *C* / 180 ° *C* ventola / gas 6. Condire nell'olio la zucca, l'aglio e la salvia, quindi stenderli in una teglia e cuocere in forno per 20 minuti, aggiungere le zucchine e cuocere per altri 15 minuti. Mescolare tutto, quindi aggiungere le noci pecan e cuocere per altri 5 minuti fino a quando le noci sono tostate e le verdure sono tenere e iniziano a caramellare.
2. Nel frattempo, lessare la pasta secondo le istruzioni

della confezione - circa 12 min. Scolare, quindi versare in una ciotola da portata e condire con gli spinaci in modo che appassiscano al calore della pasta. Aggiungere la verdura e le noci pecan arrostite, rompere un po 'le noci e mescolare bene prima di servire.

40. Riso con carciofi e melanzane

ingredienti

- 60 ml di olio d'oliva
- 2 melanzane, tagliate a tocchetti
- 1 cipolla grande, tritata finemente
- 2 spicchi d'aglio, schiacciati
- prezzemolo in confezione piccola, foglie colte, gambi finemente tritati
- 2 cucchiaini di paprika affumicata
- 2 cucchiaini di curcuma
- 400 g di riso per paella
- 1 $\frac{1}{2}$l di brodo vegetale Kallio
- 2 confezioni da 175g di carciofi alla brace
- 2 limoni 1 spremuto, 1 tagliato a spicchi per servire

PASSI

1. Scalda 2 cucchiai di olio in una padella antiaderente o in una padella per paella. Friggere le melanzane fino a quando saranno ben colorate su tutti i lati (aggiungere un altro cucchiaio di olio se la melanzana

inizia a prendere troppo), quindi toglierle e metterle da parte. Aggiungere un altro cucchiaio di olio nella padella e soffriggere leggermente la cipolla per 2-3 minuti o fino a quando non si sarà ammorbidita. Aggiungere i gambi di aglio e prezzemolo, cuocere ancora per qualche minuto, quindi incorporare le spezie e il riso fino a quando tutto sarà ben ricoperto. Riscaldare per 2 minuti, aggiungere metà del brodo e cuocere, scoperto, a fuoco medio per 20 minuti, mescolando di tanto in tanto per evitare che si attacchi.

2. Immergere melanzane e carciofi nel composto, versare il resto del brodo e cuocere per altri 20 minuti o fino a quando il riso è cotto. Tritate le foglie di prezzemolo, mescolate con il succo di limone e condite bene. Portare la teglia intera in tavola e versare nelle ciotole, con gli spicchi di limone a lato.

41.Insalata di guacamole e mango con fagioli neri

ingredienti

- 1 lime, la scorza e il succo
- 1 mango piccolo, snocciolato, sbucciato e tritato
- 1 avocado piccolo, snocciolato, sbucciato e tritato
- 100 g di pomodorini, tagliati a metà
- 1 peperoncino rosso, privato dei semi e tritato
- 1 cipolla rossa, tritata
- $\frac{1}{2}$ confezione piccola di coriandolo tritato
- 400 g di fagioli neri, scolati e sciacquati

PASSI

1. Mettere la scorza e il succo di lime, il mango, l'avocado, i pomodori, il peperoncino e la cipolla in una ciotola, mescolare con il coriandolo e i fagioli

42. Impacchi di olive vegetariane con vinaigrette alla senape

ingredienti

- 1 carota, sminuzzata o grattugiata grossolanamente
- 80 g di cavolo cappuccio rosso, tritato finemente
- 2 cipollotti, tagliati a fettine sottili
- 1 zucchina, sminuzzata o grattugiata grossolanamente
- una manciata di foglie di basilico
- 5 olive verdi, snocciolate e tagliate a metà
- ½ cucchiaino di senape inglese in polvere
- 2 cucchiaini di olio extravergine di colza
- 1 cucchiaio di aceto di sidro
- 1 tortilla con semi grandi

PASSI

1. Mescolare tutti gli ingredienti tranne la tortilla e mescolare bene.
2. Metti la tortilla su un foglio di carta stagnola e impila il ripieno lungo un lato dell'involucro: sembrerà quasi un composto eccessivo, ma una volta

che inizi a arrotolarlo con decisione si compatterà. Arrotola la tortilla dal lato del ripieno, piegandola sui lati mentre procedi. Piega la pellicola alle estremità per mantenere il materiale all'interno della pellicola. Tagliarli a metà e mangiare subito. Se si prende al lavoro, lasciare intero e avvolgere come un cracker nella carta da forno.

43 Dhal spinaci, patate dolci e lenticchie

ingredienti

- 1 cucchiaio di olio di sesamo
- 1 cipolla rossa, tritata finemente
- 1 spicchio d'aglio, schiacciato
- zenzero grande quanto un pollice, sbucciato e tritato finemente
- 1 peperoncino rosso, tritato finemente
- 1½ cucchiaino di curcuma macinata
- 1½ cucchiaino di cumino macinato
- 2 patate dolci (circa 400 g), tagliate a pezzi uguali
- 250 g di lenticchie rosse spezzate
- 600 ml di brodo vegetale
- Sacchetto da 80 g di spinaci
- 4 cipollotti, tagliati in diagonale, per servire
- ½ confezione piccola di basilico thailandese, foglie spezzettate, per servire

PASSI

1. Scaldare 1 cucchiaio di olio di sesamo in una padella larga con un coperchio ben aderente.
2. Aggiungere 1 cipolla rossa tritata finemente e cuocere a fuoco lento per 10 minuti, mescolando di tanto in tanto, finché non si ammorbidisce.
3. Aggiungere 1 spicchio d'aglio schiacciato, un pezzo di zenzero tritato finemente e 1 peperoncino rosso tritato finemente, cuocere per 1 minuto, quindi aggiungere 1 ½ cucchiaino di curcuma macinata e 1 ½ cucchiaino di cumino macinato e cuocere per 1 minuto ancora.
4. Alzare la fiamma a una temperatura media, aggiungere 2 patate dolci, tagliarle a pezzi uniformi e mescolare il tutto in modo che la patata sia ricoperta dalla miscela di spezie.
5. Aggiungere 250 g di lenticchie rosse spezzate, 600 ml di brodo vegetale e un po 'di condimento.
6. Portare a ebollizione il liquido, quindi abbassare la fiamma, coprire e cuocere per 20 minuti fino a quando le lenticchie sono tenere e la patata mantiene la sua forma.
7. Assaggiare e regolare il condimento, quindi

incorporare delicatamente gli 80 g di spinaci. Una volta appassito, guarnire con i 4 cipollotti tagliati in diagonale e ½ confezione piccola di foglie di basilico sminuzzate per servire.

8. In alternativa, lasciare raffreddare completamente, quindi dividere tra contenitori ermetici e conservare in frigorifero per un sano lunchbox.

44. Ciotola arrosto di cavolo broch con hummus tahini

ingredienti

- ❖ Confezione da 400 g di cimette di cavolfiore e broccoli
- ❖ 2 cucchiai di olio d'oliva
- ❖ 250 g di quinoa pronta da mangiare
- ❖ 2 barbabietole cotte, affettate
- ❖ una manciata abbondante di spinaci baby
- ❖ 10 noci, tostate e tritate
- ❖ 2 cucchiai di tahina
- ❖ 3 cucchiai di hummus
- ❖ 1 limone, 1/2 spremuto, 1/2 tagliato a spicchi

PASSI

1. La sera prima, riscaldare il forno a 200 ° C / 180 ° C ventola / gas 6. Mettere il cavolfiore e i broccoli in una grande teglia da forno con l'olio e una spolverata di sale marino a scaglie. Cuocere per 25-30 minuti fino a doratura e cottura. Lasciar raffreddare completamente.
2. Costruisci ogni ciotola mettendo metà della quinoa

in ciascuna. Adagiare sopra le fettine di barbabietola, poi gli spinaci, il cavolfiore, i broccoli e le noci. Unisci il tahini, l'hummus, il succo di limone e 1 cucchiaio di acqua in una piccola pentola. Prima di mangiare, ricopri la salsa. Servire con gli spicchi di limone.

45. Ragù di lenticchie con zucchini

ingredienti

- 2 cucchiai di olio di colza, più 1 cucchiaino
- 3 coste di sedano, tritate
- 2 carote, tritate
- 4 spicchi d'aglio, tritati
- 2 cipolle, tritate finemente
- 140 g di funghi champignon da una confezione da 280 g, tagliati in quarti
- Confezione da 500 g di lenticchie rosse essiccate
- Confezione da 500 g di passata
- 1 litro di brodo vegetale a ridotto contenuto di sale (noi abbiamo usato Marigold)
- 1 cucchiaino di origano essiccato
- 2 cucchiai di aceto balsamico
- 1-2 zucchine grandi, tagliate a spaghetti con uno spiralizer, un pelapatate a julienne o un coltello

PASSI

1. Riscaldare i 2 cucchiai di olio in una padella larga.

Aggiungere il sedano, le carote, l'aglio e le cipolle e soffriggere per 4-5 minuti a fuoco vivace per ammorbidire e iniziare a colorare. Aggiungere i funghi e soffriggere per altri 2 minuti.

2. Incorporare le lenticchie, la passata, il brodo, l'origano e l'aceto balsamico. Coprite la padella e lasciate cuocere a fuoco lento per 30 minuti finché le lenticchie non saranno tenere e polpose. Controllare di tanto in tanto e mescolare per assicurarsi che il composto non si attacchi al fondo della padella; se lo fa, aggiungi una goccia d'acqua.

3. Per servire, scaldare l'olio rimanente in una padella a parte, aggiungere le zucchine e saltare in padella brevemente per ammorbidire e riscaldare. Servire metà del ragù con gli zucchini e raffreddare il resto per mangiare un altro giorno. Può essere congelato fino a 3 mesi.

46 Lasagne di lenticchie

ingredienti

- 1 cucchiaio di olio d'oliva
- 1 cipolla, tritata
- 1 carota, tritata
- 1 costa di sedano, tritata
- 1 spicchio d'aglio, schiacciato
- 2 lattine da 400g di lenticchie, scolate, sciacquate
- 1 cucchiaio di farina di mais
- 400 g di pomodoro tritato
- 1 cucchiaino di ketchup ai funghi
- 1 cucchiaino di origano tritato (o 1 cucchiaino essiccato)
- 1 cucchiaino di brodo vegetale in polvere
- 2 teste di cavolfiore, tagliate a cimette
- 2 cucchiai di latte di soia non zuccherato
- un pizzico di noce moscata grattugiata fresca
- 9 sfoglie per lasagne senza uova essiccate

PASSI

1. Scaldare l'olio in una padella, aggiungere la cipolla, la carota e il sedano e cuocere delicatamente per 10-15 minuti fino a quando non saranno morbidi. Aggiungere l'aglio, cuocere per qualche minuto, quindi incorporare le lenticchie e la farina di mais.

2. Aggiungere i pomodori più un tappo d'acqua, il ketchup di funghi, l'origano, il brodo in polvere e un po 'di condimento. Cuocere a fuoco lento per 15 minuti, mescolando di tanto in tanto.

3. Nel frattempo, cuocere il cavolfiore in una pentola di acqua bollente per 10 minuti o finché sono teneri. Scolare, quindi ridurre in purea con il latte di soia utilizzando un frullatore a immersione o un robot da cucina. Condite bene e aggiungete la noce moscata.

4. Riscaldare il forno a 180 ° C / 160 ° C ventola / gas 4. Distribuire un terzo del composto di lenticchie sulla base di una pirofila in ceramica, circa 20 x 30 cm. Coprite con un solo strato di lasagne, facendo scattare le sfoglie per adattarle. Aggiungere un altro terzo del composto di lenticchie, quindi spalmare sopra un terzo della purea di cavolfiore, seguito da uno strato di pasta. Completare con l'ultimo terzo di lenticchie e lasagne, seguito dalla restante purea.

5. Coprire con un foglio di alluminio e infornare per 35-45 minuti, rimuovendo la pellicola per gli ultimi 10 minuti di cottura.

47 Frittelle vegane facili

ingredienti

- 300 g di farina autolievitante
- 1 cucchiaino di lievito in polvere
- 1 cucchiaio di zucchero (qualsiasi tipo)
- 1 cucchiaio di estratto di vaniglia
- 400 ml di latte vegetale (come avena, mandorle o soia)
- 1 cucchiaio di olio vegetale per cucinare
- Per servire (facoltativo)
- fette di banana, mirtilli, sciroppo d'acero, gocce di cioccolato vegano, yogurt vegetale

PASSI

1. Sbatti la farina, il lievito, lo zucchero, l'estratto di vaniglia e un pizzico di sale in una ciotola usando una frusta a palloncino fino ad amalgamarli. Versare lentamente il latte fino ad ottenere una pastella liscia e densa.
2. Scaldare un po 'di olio in una padella antiaderente a fuoco medio-basso e aggiungere 2 cucchiai di

pastella nella padella alla volta per ottenere piccole frittelle rotonde. Dovrai farlo in lotti di due-tre alla volta. Cuocere per 3-4 minuti fino a quando i bordi non si saranno fissati e le bollicine non appariranno sulla superficie. Capovolgere le frittelle e cuocere per altri 2-3 minuti finché non saranno dorate su entrambi i lati e ben cotte. Tenere al caldo a forno basso mentre si cuociono le restanti frittelle.

3. Servire impilato con molti condimenti a scelta o servire con ciotole di condimenti affinché tutti possano aiutarsi.

48. Vegan jambalaya

ingredienti

- 2 cucchiai di olio d'oliva
- 1 cipolla grande (180 g), tritata finemente
- 4 coste di sedano, tritate finemente
- 1 peperone giallo, tritato
- 2 cucchiaini di paprika affumicata
- $\frac{1}{2}$ cucchiaino di peperoncino in scaglie
- $\frac{1}{2}$ cucchiaino di origano essiccato
- 115 g di riso basmati integrale
- 400 g di pomodori tritati
- 2 spicchi d'aglio, finemente grattugiati
- 400 g di fagioli di burro, scolati e sciacquati
- 2 cucchiaini di brodo vegetale in polvere
- grossa manciata di prezzemolo tritato

PASSI

1. Scaldare l'olio in una padella larga a fuoco vivace e soffriggere la cipolla, il sedano e il peperone,

mescolando di tanto in tanto, per 5 minuti finché non iniziano ad ammorbidirsi e colorarsi.

2. Mescolare le spezie e il riso, quindi versare i pomodori e una lattina d'acqua. Aggiungere l'aglio, i fagioli e il brodo. Portare a ebollizione, quindi coprire e cuocere per 25 minuti fino a quando il riso è tenero e ha assorbito la maggior parte del liquido. Tieni d'occhio la padella verso la fine del tempo di cottura per assicurarti che non si asciughi - se inizia a prendere, aggiungi un po 'più di acqua. Aggiungere il prezzemolo e servire caldo.

49 Spezzatino di fagioli e halloumi

ingredienti

- 3 cucchiai di olio d'oliva
- 1 cipolla, affettata sottilmente
- 1 peperone rosso, tagliato a fettine sottili
- 2 spicchi d'aglio, schiacciati
- 3 cucchiai di peperoncino rosso, pesto di pomodori secchi o alternativa vegana
- 1 cucchiaino colmo di coriandolo macinato
- 400g barattolo di fagioli misti, scolati e sciacquati
- 400 g di pomodori tritati
- $\frac{1}{2}$ x 250 g di halloumi in blocco, a fette
- $\frac{1}{2}$ mazzetto di coriandolo tritato finemente
- pane all'aglio, per servire (facoltativo)

PASSI

1. Scaldare 2 cucchiai di olio in una padella a fuoco medio. Aggiungere la cipolla e il pepe, insieme a un pizzico di sale e soffriggere per 10 minuti o finché non si saranno ammorbiditi. Aggiungere l'aglio, il

pesto e il coriandolo macinato e cuocere per 1 min. Aggiungere i fagioli ei pomodori insieme a ½ lattina di acqua, quindi portare a ebollizione e cuocere senza coperchio per 10 minuti.

2. Aggiungere l'olio rimanente in una padella separata a fuoco medio. Friggere l'halloumi per 2 minuti su ciascun lato o fino a doratura.

3. Assaggia i fagioli per condire, quindi versali in ciotole profonde. Completare con l'halloumi e spargere sul coriandolo tritato. Servire con pane all'aglio, se ti piace.

50.Torta di compleanno vegana

ingredienti

- 320 ml di olio di semi di girasole, più un extra per le lattine
- 450 ml di latte di soia, mandorle o cocco (la varietà da versare, non una lattina)
- 1 cucchiaio di aceto di mele
- 500 g di zucchero muscovado leggero
- 2 cucchiaini di estratto di vaniglia o pasta di bacche di vaniglia
- 260 g di yogurt di soia o cocco
- 450 g di farina autolievitante
- 160 g di cacao in polvere
- 1 ½ cucchiaino di lievito in polvere
- 1 ½ cucchiaino di bicarbonato di sodio

Per la crema al burro vegana

- 200 g di cioccolato fondente senza latticini
- 400 g di crema spalmabile vegana, a temperatura ambiente
- 2 cucchiaini di estratto di vaniglia o pasta di bacche di vaniglia

- 800 g di zucchero a velo, setacciato
- confettini colorati (assicurati che siano adatti ai vegani)

PASSI

1. Riscaldare il forno a 180 ° C / 160 ° C ventola / gas 4. Ungere tre stampi per dolci rotondi da 20 cm e rivestire le basi e i lati con carta da forno (se non si hanno tre stampi, cuocere la pastella in lotti). Sbatti il latte e l'aceto insieme in una brocca: il latte dovrebbe cagliare leggermente. Mettere da parte.

2. Sbatti lo zucchero, l'olio e l'estratto di vaniglia insieme in una ciotola, quindi aggiungi lo yogurt, assicurandoti di abbattere eventuali zollette di zucchero. Versare il latte inacidito e mescolare bene.

3. Setacciare la farina, il cacao in polvere, il lievito, il bicarbonato di sodio e ½ cucchiaino di sale in una ciotola separata e mescolare bene per unire. Sbatti gradualmente gli ingredienti bagnati sul secco fino ad ottenere una pastella liscia, ma fai attenzione a non mescolare troppo.

4. Dividere la pastella in modo uniforme tra le teglie e infornare per 25-30 minuti, finché non è ben lievitata ed elastica, e uno spiedino inserito nel centro esce quasi pulito. Qualche briciola appiccicosa va bene, ma la miscela non deve essere bagnata.

5. Lasciar raffreddare le torte nelle loro tortiere per 20 minuti, quindi girarle con cura su una gratella per raffreddarle completamente. Saranno delicati, quindi sii gentile (un sollevatore di torte è utile). Le spugne si manterranno coperte a temperatura ambiente fino a due giorni.

6. Per la crema al burro vegana, sciogliere il cioccolato nel microonde o in una ciotola adagiata su una pentola di acqua bollente. Lasciar raffreddare. Sbattere la crema e la vaniglia ad alta velocità in una planetaria per alcuni minuti fino a ottenere un composto chiaro e spumoso. Aggiungere gradualmente lo zucchero a velo, mescolando lentamente per iniziare, quindi aumentare la velocità al massimo fino a ottenere un composto chiaro e cremoso. Versare il cioccolato raffreddato e mescolare bene. Raffredda la crema al burro per almeno 30 minuti prima dell'uso.

7. Per assemblare la torta, usa prima un coltello affilato per tagliare le parti superiori delle spugne per renderle a livello. Mettere una delle spugne su un piatto da portata, un supporto per torta o un tamburo rotondo da 20 cm (l'uso di un tamburo per dolci rende più facile ghiacciare la torta in modo ordinato e spostarla successivamente su un supporto o un piatto). Distribuire su uno strato di crema al

burro, utilizzando una spatola per ottenere una finitura uniforme e pulita. Coprire con la seconda spugna e spalmare su un altro strato di crema al burro.

8. Coprite con l'ultimo pan di Spagna capovolto, in modo che il fondo della torta diventi la parte superiore (questo aiuterà a mantenere la glassa pulita e relativamente priva di briciole). Distribuire i lati della torta con la crema al burro. Tieni ferma la spugna superiore con un palmo se hai bisogno di stabilizzare la torta. Una volta che hai coperto i lati il più ordinatamente possibile, copri la parte superiore con uno strato sottile di crema al burro. Usa la tua spatola per pulire la parte superiore e i lati. Se hai un raschietto laterale, usalo per spazzare i lati e la parte superiore per affilare il rivestimento. (Questo è un cappotto di briciole, intrappolando eventuali briciole per darti una base pulita e solida.) Metti la torta in frigorifero per rassodare e lascia raffreddare per 1-2 ore.

9. Per finire, coprire i lati e la parte superiore della torta nello stesso modo, utilizzando la maggior parte della restante crema al burro. Premere gli spruzza contro il fondo della torta, circa un quarto a un terzo della parte superiore. Puoi vestire la parte superiore della torta con un cerchio di codette, o per una finitura più elaborata, convogliare piccoli vortici attorno al bordo superiore della torta usando l'eventuale crema al burro rimanente raschiata in una tasca da pasticcere dotata di un grande beccuccio a stella aperto, quindi finire con più

sprūzza.

10. Conserva la torta in frigorifero per tenerla ferma, quindi rimuovila 1 ora prima di servire. Si conserva, coperto, in frigo, fino a tre giorni.

CONCLUSIONE

La dieta mediterranea non è una dieta unica, ma piuttosto un modello alimentare che prende ispirazione dalla dieta dei paesi dell'Europa meridionale. C'è un'enfasi su cibi vegetali, olio d'oliva, pesce, pollame, fagioli e cereali.

Lightning Source UK Ltd.
Milton Keynes UK
UKHW021012030521
383041UK00001B/177